JN061157

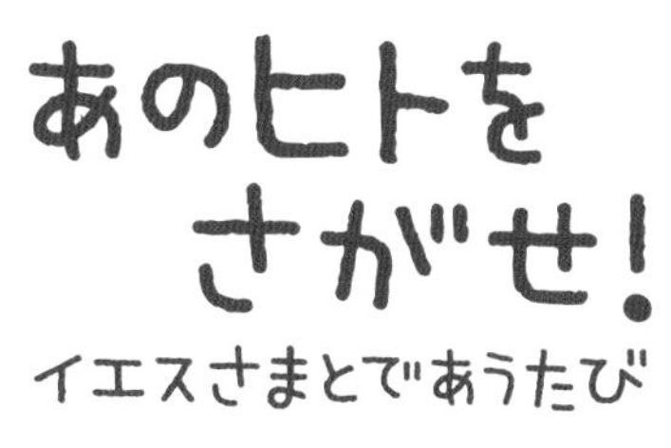
あのヒトを
さがせ！
イエスさまとであうたび

ベツレヘムのやどやはいっぱい

どこにいるかな?
さがしてみよう

ヨセフさん

マリアさん

ふくろ

りんご3こ

ヨセフさんとマリアさんはユダヤのベツレヘムにやってきました。でも、やどやはどこもいっぱいでとまるところがありません。しかたなくうまごやにとまることにしました。
ルカ2:6〜7

てんしのしらせに
ひつじもびっくり

どこにいるかな？
さがしてみよう

けいとだま

わらうひつじ

まるがおのひつじ

おこるひつじ

ひつじのむれのばんをしていたひつじかいたちに、みつかいたちがあらわれ、
イエスさまのおたんじょうをつたえました。
ルカ2：14

ひつじかいたち がやってきた

どこにいるかな?
さがしてみよう

はかせさん

マリアさん

おこっているひつじ

ほうき

ひつじかいたちはてんしのしらせをきいて、
ベツレヘムのうまごやへおうまれになったばかりのイエスさまにあいにいきました。
ルカ2:15〜16

12さいの
イエスさま

どこにいるかな?
さがしてみよう

すぎこしのまつりのかえり、ヨセフさんとマリアさんはイエスさまがいないことにきづいておおあわて。
そのときイエスさまはエルサレムのしんでんでがくしゃたちとはなしをしていました。
ルカ2:49

おはなしをする イエスさま

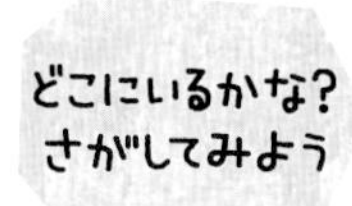

シモンさん

イエスさま

ペテロさん

マタイさん

イエスさまはたびをしながら、てんのみくにはいるにはどのようにいきればよいかを
おおくのひとたちにおしえられました。
マタイ7：21

しゅぜいにんのマタイさん

どこにいるかな?
さがしてみよう

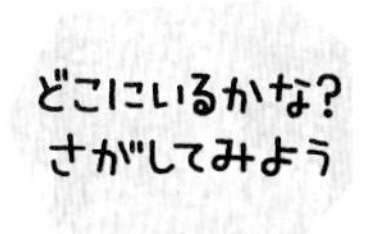

イエスさま

ペテロさん

マタイさん

しゅぜいにんのマタイさんは、イエスさまに「わたしについてきなさい」といわれると、
すぐにたちあがりイエスさまにしたがいました。
マタイ9:9

みえるように なったふたり

どこにいるかな?
さがしてみよう

イエスさま

みえるようになったひとたち

わたあめ

「ダビデのこよ、わたしたちをあわれんでください」とさけぶ、めのみえないふたりに
イエスさまは「あなたがたのしんこうのとおりになれ」といわれました。
マタイ9:29

イエスさまは12にんのおでしさんをとくべつなほうほうでえらばれました。
マタイ10：1～4

5つのパンと 2ひきのさかな

どこにいるかな?
さがしてみよう

イエスさま

シモンさん

ペテロさん

ピリポさん

バルトロマイさん

ヨハネさん

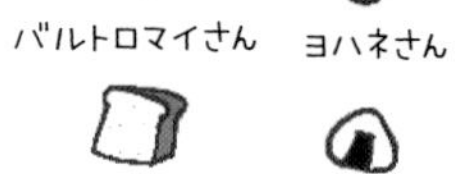

しょくぱん

おにぎり

イエスさまは、5つのパンと2ひきのさかなをしゅくふくしました。イエスさまのはなしをききにきたおおぜいのひとたちは、それをたべておなかがいっぱいになりました。
マタイ14:19

びょうきの おんなの ひとのしんこう

どこにいるかな?
さがしてみよう

イエスさま

おどろいているひつじ

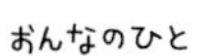

おんなのひと

ペテロさん

ながいあいだびょうきだったひとがイエスさまのふくにふれたとたん、びょうきがなおりました。
イエスさまは「あなたのしんこうがあなたをすくったのです」といいました。
ルカ8:48

イエスさまのたとえばなし まいごのひつじ

どこにいるかな？
さがしてみよう

まいごになったひつじ

ねているひつじ

くつをはいてるひつじ2ひき

イエスさまは、かみさまのただしいみちからはずれ、まいごになってしまったひとをさがし、かみさまのもとへつれてかえります。
まいごのひつじをみつけたひつじかいがよろこんだように、そのひとがすくわれるときはこころからよろこびます。
マタイ18：12〜13

イエスさまの たとえばなし ほうとうむすこ

どこにいるかな？
さがしてみよう

おとうと

おとうさん

おにいさん

しろいカップケーキ

いえでをしていたおとうとがかえってきておおよろこびのおとうさん。おこるおにいさんにおとうさんは「いなくなっていたのにみつかったのだから、よろこびいわうのはとうぜんではないか」といいました。
ルカ15：31～32

きにのぼった ザアカイさん

どこにいるかな?
さがしてみよう

イエスさま

ザアカイさん

ペテロさん

ねているめんどり

イエスさまをみようときにのぼったザアカイに、イエスさまは「ザアカイ、いそいでおりてきなさい。
わたしはきょう、あなたのいえにとまることにしているから」といいました。
ルカ19:5

サマリアの
おんなのひとと
のどのかわき

どこにいるかな?
さがしてみよう

イエスさま

サマリアのおんなのひと

じょうもんしきどき

イエスさまはサマリアじんのおんなのひとにいいました。
「わたしがあたえるみずをのむひとは、いつまでもけっしてかわくことがありません」
ヨハネ4：14

エルサレム にゅうじょう

どこにいるかな?
さがしてみよう

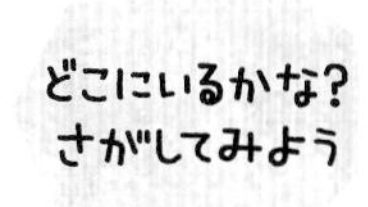

イエスさま

バルトロマイさん

マタイさん

ペテロさん

ロバのこにのったイエスさまがやってくると、たくさんのひとたちが、じぶんのふくやシュロのえだをみちにしいて「ホサナ、ダビデのこに!　しゅくふくあれ、しゅのみなによってこられるかたに!」とさけびました。
マタイ21:9

しりません！と
いってしまった
ペテロさん

どこにいるかな？
さがしてみよう

ペテロさん

イエスさま

おんどり

イエスさまがたいほされたあと、ペテロは、3かい「わたしはイエスなんてひとはしらない」といってしまいました。
そのすぐあとににわとりがなきました。
マタイ26：74

よみがえられた イエスさま

どこにいるかな?
さがしてみよう

じゅうじかにかけられたイエスさまは、みっかめによみがえりました。
ルカ24:5〜12

ふっかつの
イースター

どこにいるかな?
さがしてみよう

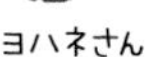

ヨハネさん

トマスさん

ピリポさん

イエスさま

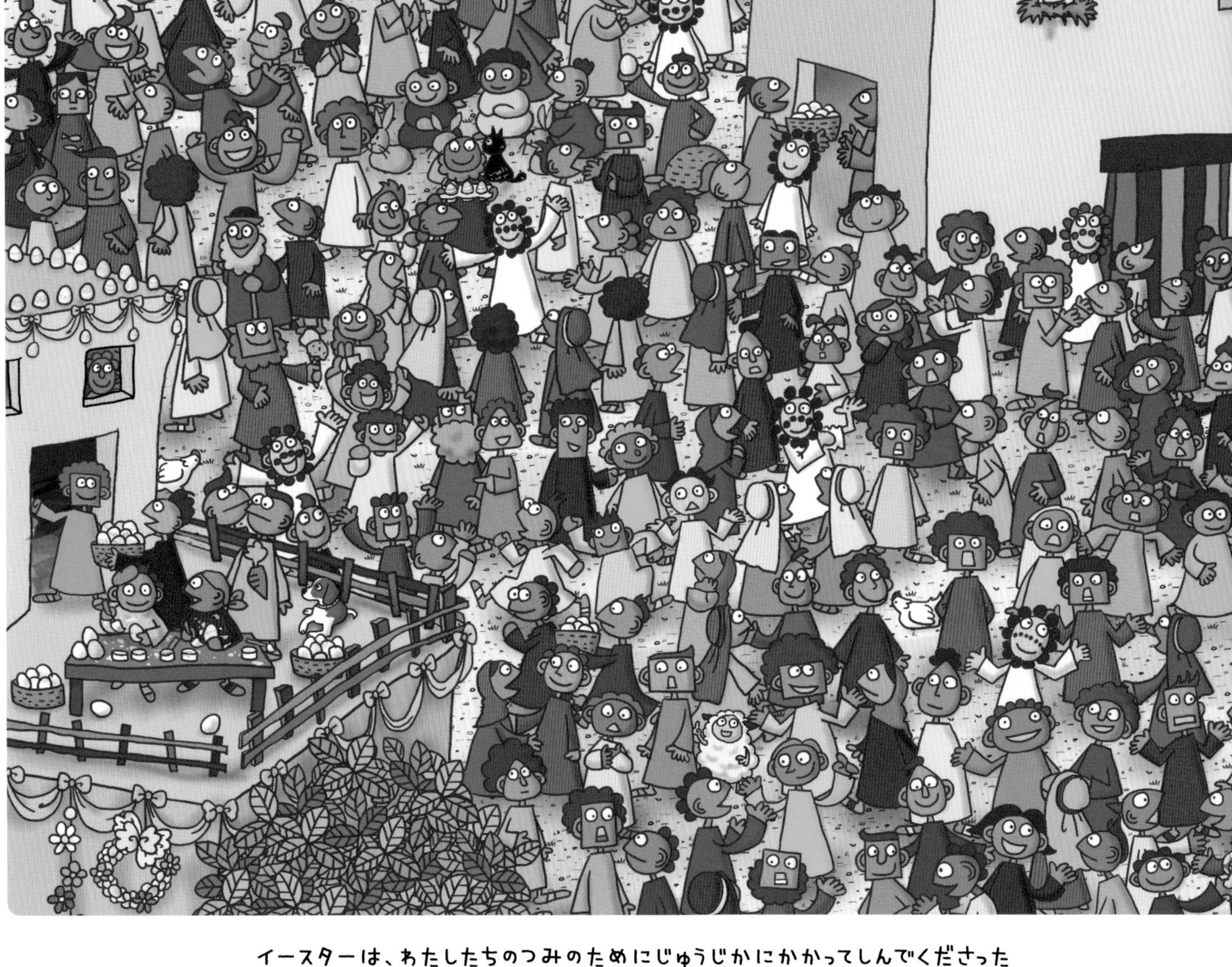

イースターは、わたしたちのつみのためにじゅうじかにかかってしんでくださった
イエスさまのふっかつをおいわいするひです。
ヨハネ20:19

イエスさまと シモン・ペテロ

どこにいるかな?
さがしてみよう

トマスさん

イエスさま

シモン・ペテロさん

あらうさかな

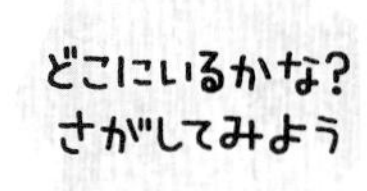

りょうにでているシモン・ペテロは、よみがえられたイエスさまのいわれたとおりにあみをおろすと、たくさんさかながとれました。そのさかなとパンであさごはんをたべてから、ペテロはイエスさまに「イエスさまをあいしています」と3かいこくはくすることができました。 ヨハネ21:17

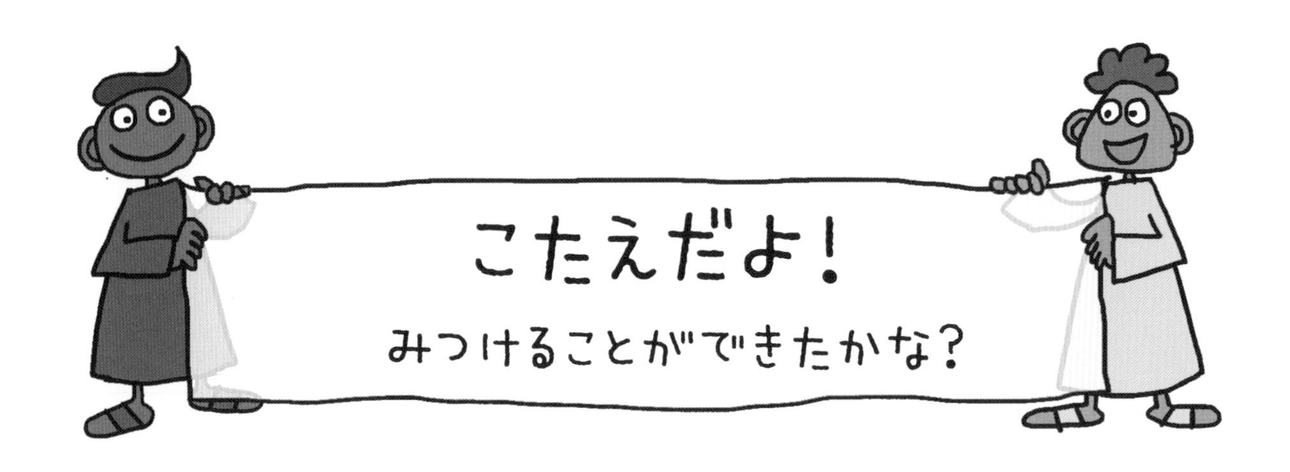

P2※ベツレヘムのやどやはいっぱい

P3※てんしのしらせにひつじもびっくり

P4※ひつじかいたちがやってきた

P5※12さいのイエスさま

P6※おはなしをするイエスさま

P7※しゅぜいにんのマタイさん

P8※みえるようになったふたり

P9※イエスさまと12にんのでしたち

P10〜11※5つのパンと2ひきのさかな

P12 びょうきのおんなのひとのしんこう

P13 イエスさまのたとえばなし　まいごのひつじ

P14 イエスさまのたとえばなし　ほうとうむすこ

P15 きにのぼったザアカイさん

P16※サマリアのおんなのひととのどのかわき

P17※エルサレムにゅうじょう

P18※しりません！といってしまったペテロさん

P19※よみがえられたイエスさま

P20※ふっかつのイースター

P21※イエスさまとシモン・ペテロ

すべてのページにくろねこがかくれているよ。
ページのタイトルしたにいるキャラクターたちも、
そのイラストのどこかにかくれているみたい。
さがしてみてね。

あのヒトをさがせ！ イエスさまとであうたび

2021年8月1日発行
2024年12月1日4刷

さく・え　みゆき

発行　いのちのことば社

〒164-0001　東京都中野区中野2-1-5

編集　Tel.03-5341-6924　Fax.03-5341-6932
営業　Tel.03-5341-6920　Fax.03-5341-6921

Printed in Japan

ISBN978-4-264-04272-3